faça acontecer!

10 lições estratégicas para pensar positivo com sabedoria

BERTHA GIOTTI

faça acontecer!

10 lições estratégicas para pensar positivo com sabedoria

Copyright © 2016

Todos os direitos reservados. Nenhuma parte desta obra pode ser reproduzida, arquivada ou transmitida, de nenhuma forma ou por nenhum meio, sem a permissão expressa e por escrito da Capitu Editora.

Impresso no Brasil

COORDENAÇÃO DO PROJETO Capitu
EDITORES Diego Rodrigues e Naiara Raggiotti
COLABORADORES Lídia Moreto, Lirian Sampaio e Rose Maliani

IMAGEM DA CAPA Nataliya_Bykova/Thinkstock
IMAGENS DO MIOLO CkyBe/Shutterstock

PRODUÇÃO Obá Editorial
ASSISTENTE EDITORIAL Brunna Prado
EDIÇÃO DE ARTE Mayara Menezes do Moinho
PROJETO GRÁFICO E DIAGRAMAÇÃO Carol Ohashi
PREPARAÇÃO Eugênia Souza
REVISÃO Débora Tamayose, Débora Teodoro e Isabela Norberto

Dados internacionais de catalogação na publicação (CIP)
Bibliotecária responsável – Simone da Rocha Bittencourt CRB 10/1171

G511v   Giotti, Bertha.
  Faça acontecer: 10 lições estratégicas para pensar positivo com sabedoria / Bertha Giotti. – São Paulo: Capitu, 2016.
  64 p.: il.; 13,5 x 20,5 cm.

  ISBN 978-85-92514-00-6

  1. Autoajuda. 2. Autoconhecimento. 3. Pensamento positivo. 4. Felicidade. 5. Relacionamento interpessoal. I. Título.

CDU-159.923.2
CDD-158.1

CAPITU
EDITORA

rua mirassol 189 sala B vila clementino
04044-010 são paulo sp
11 5084 4915
www.capitueditora.com.br
contato@capitueditora.com.br

facebook.com/capitueditora
instagram.com/capitueditora

sumário

7 Esqueça a sorte

10 PARTE I
Onde está a chave?

12 Converse com o Universo

14 Explorando a primeira premissa

14 Destrinchar os desejos

16 Explorando a segunda premissa

16 Estar a postos para receber

18 Uma jornada estratégica

19 Para a bagagem

20 Não perca

22 Os arquétipos da positividade, da negatividade e da imobilidade

22 Arquétipos da positividade

23 Arquétipos da negatividade

24 Arquétipos da imobilidade

26 PARTE II
10 lições estratégicas para pensar positivo com sabedoria

26 1. Olhe para a frente

28 2. Preocupe-se com o presente

29 3. Agradeça e aprecie o que tem

31 4. Não confunda o que você quer com aquilo de que precisa

33 5. Esteja preparado para pegar rotas alternativas

34 6. Permita-se chorar

35 7. Não responsabilize os outros por suas perdas

37 8. Trabalhe. Depois do horário, se preciso

39 9. Valorize as pequenas conquistas

40 10. Procure enxergar além

42 PARTE III
Encarando o pensamento negativo

44 Negativo *versus* negatividade

47 Cuidado: a negatividade se constrói...

48 ... das palavras

49 ... das suposições

50 ... das distorções

50 ... do autoengano

52 PARTE IV
10 negatividades e seus antídotos

52 1. Ódio

53 2. Vingança

54 3. Autopiedade

55 4. Vergonha

55 5. Intolerância

56 6. Preconceito

56 7. Indiferença

57 8. Remorso

58 9. Frustração

59 10. Pessimismo

61 Enfim, o equilíbrio

esqueça
A SORTE

Sim e *não*. Duas palavras tão pequenas, mas, ao mesmo tempo, tão poderosas. Opostas e complementares, são elas que traçam o nosso destino, nos levam – ou não – a um lugar, a alguém, ao naufrágio, ao sucesso. Vivemos à mercê delas, todos os dias, a todo momento, desde a primeira vez que nos negaram aquele enorme sorvete ou nos compraram o brinquedo da moda, aquele que todo mundo tinha. O "sim" é espetacular. Se você parar para pensar, vai ver que os melhores segundos da sua vida foram proporcionados por um "sim". Não é à toa que o perseguimos constantemente. Queremos um "sim" da vida, do Universo, de todos que nos cercam. Somos tão ansiosos e queremos tantas coisas ao mesmo tempo que, às vezes, tem-se a impressão de que não haverá "sim" para tantos pedidos.

Atualmente, muitos livros e filmes se preocupam em mostrar o poder do pensamento positivo – uma arma infalível para você conseguir o que quiser. No entanto, não se pode confundir o pensamento positivo com a busca desenfreada pelo "sim".

Lembre-se: para funcionar bem, a mente precisa estar relaxada. Imagine que sua mente é um lago: cada pensamento é uma pedrinha que se atira na água. A todo instante, atiramos milhares de pedrinhas, a ponto de, muitas vezes, transformar nossa mente em um verdadeiro *tsunami*.

Para realmente usufruir os "sins" que a vida oferece, é preciso parar de atirar pedras no lago, porque, na prática, não é possível pensar em duas coisas ao mesmo tempo. Apesar da enorme capacidade de processamento da mente, você só pode pedir, querer e visualizar uma coisa de cada vez.

Se o "sim" é espetacular, o "não" é aterrador. Com a mente esvaziada, o próximo desafio é aprender a pôr o "não" em seu lugar. Não espere exterminá-lo de sua vida. Nem sempre um pensamento negativo é prejudicial. Concluir que o leão vai mordê-lo se você entrar na jaula é precaução, não pessimismo. Desse ponto de vista, o "não" está associado ao medo e, em última instância, ao instinto de sobrevivência. Como ensina a sabedoria *yin-yang*, nada vive sem o seu oposto. Nenhum "sim" teria o mesmo sabor de sucesso se não existisse o "não". Pensar positivo é, na verdade, *saber pensar*, para, em seguida, *saber agir* em nome de um objetivo. E isso não significa renegar o "não", mas sim saber usá-lo a seu favor, como um cão de guarda.

Muita gente acredita que dinheiro, beleza, saúde e carreira impecável são apenas golpes de sorte: ou você tem sorte, ou não tem. Para essas pessoas, o ser humano é uma espécie de Maomé esperando a montanha chegar. A partir de agora, esqueça a sorte: as montanhas não saem do lugar. Você não seria capaz de pensar as coisas que almeja se não fosse capaz de conquistá-las.

PARTE I

ONDE ESTÁ
a chave?

....

Sidarta Gautama (563 a.C.-483 a.C.), o Buda, disse certa vez: "Tudo o que somos hoje é resultado daquilo que nós pensamos no passado". George Berkeley (1685-1753) vai ainda mais longe. Para ele, não existe sequer mundo material. Tudo o que nos rodeia é apenas fruto de nossa consciência. O mundo está ligado ao pensamento, e a nossa alma – o que somos – é, na verdade, a causa de nossas próprias ideias.

Se você prestar atenção a tudo o que faz, vai perceber que pensar é o ato mais poderoso e misterioso da vida. Só você pode decidir pensar em uma coisa ou em outra. Só você tem acesso ao seu pensamento. Nem os melhores aparelhos de tomografia computadorizada ou de ressonância magnética são capazes de saber, de fato, o que se passa na sua cabeça. Podem perceber áreas mais ativas no cérebro e até concluir que você está feliz ou triste, mas não são capazes de conhecer a causa desse sentimento. Pensar é ainda mais forte do que falar, uma vez que o pensamento conta com a imagem.

Não é à toa que você pode falar uma coisa enquanto pensa em outra. Não é por acaso que a mente funciona mesmo quando você não quer pensar em nada. Ela é capaz, por exemplo, de criar histórias inteiras, lógicas ou ilógicas, com personagens muitas vezes desconhecidas para nós – é o que acontece quando sonhamos.

Em 1913, o psiquiatra holandês Frederik Willem van Eeden (1860-1932) usou pela primeira vez o termo "sonho lúcido", referindo-se à experiência de pessoas – entre as quais ele se inclui – que dizem sonhar de maneira lúcida. Essas pessoas podem perceber que estão sonhando e modificar o curso dos acontecimentos, embora, muitas vezes, sejam obrigadas a aceitar o cenário oferecido pelo sonho. Percebe-se, assim, não só o poder de nossa mente, mas também o poder que somos capazes de exercer sobre ela.

O pensamento está ligado à vontade. O problema é que, quase sempre, não sabemos reconhecer nossas verdadeiras vontades, nossos reais desejos.

O primeiro passo, portanto, para tornar real o que pensamos não é pensar positivo: é saber o que realmente queremos. Por que queremos? Para que queremos? Aonde se quer chegar de fato e por quê?

Antes de continuar a leitura, faça uma lista de tudo o que você gostaria de conquistar. Você vai perceber que, quando alguém nos pergunta isso, tendemos a agir com modéstia e generalização. Todos querem saúde, dinheiro e alegria. E aqui encontramos uma bela contradição: se todas as pessoas, em todo o planeta, querem tanto essas coisas e pensam nisso juntas – numa enorme corrente cósmica –, por que nem todas são contempladas? Mais ou menos como acontece em uma final de Copa do Mundo: por que milhares de pessoas juntas, pensando positivamente, torcendo para que o jogador do seu time acerte o pênalti, nem sempre levam a bola para dentro do gol? Todas as chaves podem entrar na fechadura, mas qual delas realmente abre a porta?

CONVERSE COM O UNIVERSO

Descobrir quais são seus reais desejos é o primeiro passo. Retome a lista que você fez e comece a destrinchar cada uma de suas vontades. Imagine-se conversando com o Universo.

– Quero alegria – você diz.

– O que faz você alegre? – pergunta o Universo.

– Acordar pela manhã e ter tempo livre pra fazer coisas agradáveis – você responde.

– Hum, tempo livre... Trabalhar menos, ser bem remunerado... Pra que isso? – pergunta o Universo.

– Ora, pra passar mais tempo com as pessoas de que gosto, brincar mais com os meus filhos... – você explica.

– Entendo... Mas aonde você quer chegar com isso?

– Quero conhecer as pessoas ao meu redor, conviver mais com elas. Interagir com o mundo, e não apenas viver nele.

– Sei! Mais vida de fato, ou, como vocês dizem, mais qualidade de vida...

Destrinchar um desejo significa encontrar suas causas. A alegria é um efeito. As causas podem ser muitas. Quando você destrincha um desejo, descobre o caminho que deve ser trilhado para alcançá-lo. Se o caminho é nítido, fica mais fácil saber aonde se quer chegar com a realização desse desejo – primeira premissa. Mas isso não é tudo. O diálogo continua:

– Isso, exatamente! – você responde exultante ao perceber que o Universo compreendeu o seu pedido.

– É fácil. Está pronto pra começar? – conclui o Universo.

Essa é a segunda premissa. Quando pedir, precisa estar a postos para receber. Não encare o Universo como um garçom. Ele não virá vestido de uniforme, com uma bandeja nas mãos. Ser positivo não significa, de maneira alguma, ser passivo. Você encontra a chave, ela encaixa na fechadura, mas a porta só abre quando *você* gira a chave.

EXPLORANDO A PRIMEIRA PREMISSA

Destrinchar os desejos

Não é fácil destrinchar um desejo. Queremos tantas coisas ao mesmo tempo que fica difícil separar aquilo que queremos daquilo que *achamos* que queremos. Na prática, isso significa que querer um carro novo é diferente de querer um carro novo porque o vizinho acaba de comprar um. Materialmente, somos ainda levados pela propaganda, pela mídia, pelo padrão social e, muitas vezes, desejamos apenas por desejar. Dos trinta pares de sapatos que você tem no armário, é provável que use apenas dois ou três. Preste atenção às suas roupas. A maior parte dos cabides permanece intocada durante toda a semana. Emocionalmente, muitos de nós trocamos de parceiro constantemente porque ainda não encontramos aquilo que realmente queremos, como se as pessoas estivessem na vitrine, estáticas, prontas para serem escolhidas a dedo. Essa comparação pode parecer radical, e muitos talvez argumentem que apenas buscam "o amor de sua vida". Se esse é o seu caso, pare para pensar no que isso significa. Ou seja, na prática, como é "o amor da sua vida"? Muito provavelmente você vai concluir que o amor da sua vida tem mais de você do que dele mesmo. É uma criatura montada, idealizada, um modelo com o qual, após vários testes – outros relacionamentos –, você acha que pode conviver e ser feliz para sempre.

Material ou emocionalmente, não importa. Temos a tendência de querer sem pensar, sem refletir, pelo simples prazer – ou obrigação – de querer algo. E assim, "atirando pra todo lado", despende-se uma energia valiosa, que poderia ser usada para conseguir tudo aquilo que realmente importa para você.

Por isso, a primeira premissa para descobrir seus reais desejos é destrinchá-los, separando o joio do trigo. Sossegue a mente, guarde todas as pedrinhas no bolso e reflita sobre o que você quer, aonde quer chegar e por quê. Algumas dicas podem ajudar.

ÀS VEZES UMA COISA EXCLUI A OUTRA

Pode parecer estranho, mas, muitas vezes, queremos coisas contraditórias. Se você quer trocar de celular a cada três meses e jantar fora todo fim de semana à custa de um cartão de crédito cujo valor da fatura tem endereço fixo na Lua, não pode querer guardar dinheiro. Quer dizer, até pode, mas certamente não vai conseguir.

VOCÊ ADORA MUSEU, MAS FOI PARAR NUMA DANCETERIA

Isso é mais comum do que se pensa. Você decide viajar para se instruir culturalmente. Os museus da Europa são seu destino. Mas... o agente de viagens diz que está na moda curtir uma noitada em Nova York, e você acaba indo para lá. Ter foco é importante. Antes de mudar a rota, pare, pense e revise seus objetivos.

CUIDADO COM OS FILMES DE MENTEWOOD

Pouca gente se dá conta disso, mas a mente humana é o lugar mais fértil e criativo do Universo. Além de todas as invenções e ideias geniais que é capaz de oferecer ao mundo, ela também produz filmes inesquecíveis – e não estou falando dos sonhos. Sempre que começamos a desejar algo, uma avalanche de imagens invade a nossa mente, nos mostrando como seria nossa vida se aquele desejo fosse realizado. A visualização é uma técnica importante quando o assunto é pensar positivo, não há dúvidas quanto a isso (veja pág. 21). Contudo, é preciso ficar atento às peças que nosso canal preferido costuma nos pregar. É o que muitos chamam de ilusão. O melhor exemplo disso é o cachorrinho de estimação que muitos de nós desejamos quando somos criança. A maioria pensa nesse cachorrinho como um amigo, que busca o osso, abre a porta sozinho, é peludinho e passeia sem coleira. Quando ele chega, late mais do que você supunha, não sabe andar sem coleira, e aquele osso grandão, branco, não existe na vida real. Considere o que você pede como um pacote. Se você quer mesmo o cachorrinho, prepare-se também para receber as pulgas. Esse tipo de reflexão vai levá-lo a responder a uma pergunta básica: por que você quer um cachorrinho?

EXPLORANDO A SEGUNDA PREMISSA

Estar a postos para receber

A segunda premissa pode ser chamada de *participativa*. "Você pede, o Universo atende" é uma bela ideia, quase romântica, mas, na prática, não funciona assim. Para citar um adágio já popular, o Universo *conspira* a seu favor. Ele não *faz* por você. Portanto, de nada adianta rezar o terço e cruzar os braços ou esperar pela sorte. Na primeira premissa, você aprendeu a pensar, a refletir sobre o que quer, sobre os seus desejos e aspirações. Na segunda, é preciso agir.

NÃO INVERTA OS FATOS

Há uma piada que ilustra bem isso.

O cidadão era muito ambicioso. Queria ficar rico, acumular muito dinheiro. Não gostava de gastar com nada, só pensando na montanha de dinheiro que teria. Mas ganhava pouco e resolveu então apelar para Deus. Toda semana passava na igreja, rezava um terço inteiro e, no final, pedia:

– Por favor, Senhor, me ajude a ganhar na loteria. Serei muito mais feliz.

A semana passava, e lá estava ele de novo, depois de rezar dois terços, oferecendo um ao Senhor e outro, ao santo de sua devoção:

– Senhor, eu lhe imploro. Me ajude a ganhar na loteria. O prêmio está acumulado. O Senhor não pode imaginar como isso me fará o homem mais feliz do mundo.

Na semana seguinte, o homem voltou à igreja. Dessa vez, não rezou só dois terços. Resolveu rezar cinco terços. Passou quase toda a manhã na igreja. Quando terminou de rezar, implorou:

– Senhor, eu preciso ganhar na loteria. O Senhor precisa me ajudar. Prometo fazer qualquer coisa se conseguir isso. O Senhor pode pedir o que quiser.

– Que tal se você *jogasse* nessa tal loteria? – propôs o Senhor.

ACREDITE NA SUA INTUIÇÃO

Segundo os dicionários, a palavra "intuição" vem do latim *intuire*, que significa "imagem refletida no espelho", ou seja, algo que nos é revelado, um *insight*, um recado do Universo, capaz de nos avisar sobre a hora de agir. Concentre-se nesse tipo de comunicação. A resposta do Universo não está fora de você, afinal você está *dentro* do Universo.

SIGA O EXEMPLO DA FORMIGA

Saber pensar e saber agir não implicam resultado imediato. Ao contrário do que muita gente pensa, nem o Universo, nem Deus, nem nenhuma "entidade" a que se peça algo tem uma cartola na mão, de onde coelhinhos coloridos pulam a todo momento.

Ser positivo é adotar uma postura positiva em relação ao objetivo pretendido. As formigas carregam e cortam as folhas diariamente, a todo instante, porque sabem que a cigarra não fará isso por elas. Parafraseando um ditado popular, o trabalho é do tamanho do seu sonho.

TOME CUIDADO COM OS ATALHOS, DE TODOS OS TIPOS

Um atalho é sempre uma forma de chegar mais rápido. Ótimo? Nem sempre. Na velha fábula dos três porquinhos, o primeiro constrói uma casa de palha, enquanto o segundo ergue sua casinha de madeira. A ideia deles é construir logo a casa para poder brincar e descansar, ou seja, arrumar um atalho para ganhar tempo. Para o terceiro porquinho, porém, não existe atalho. Ele sabe que a casa segura deve ser de tijolos, e isso demanda tempo. Quando o lobo aparece, a casa de palha e a casa de madeira voam pelos ares. Só a casa do porquinho sábio permanece.

Da mesma forma, não se iluda com as belas estradas, sem buracos, floridas, espaçosas e encantadoras. Na Bíblia, a estrada que leva à vida eterna é estreita e apertada. Tenha isso em mente quando achar que o caminho está pedregoso demais para prosseguir.

UMA JORNADA ESTRATÉGICA

Não existe milagre no pensamento positivo. Você pode operar com perfeição a sua mente, sem truques nem rodeios. Ser positivo é, antes de qualquer coisa, ser racional, estratégico. De nada adianta apenas imaginar meia dúzia de cenas bonitas ou se esforçar para pensar em uma dúzia de palavras positivas.

Depois de destrinchar os seus desejos e se pôr a postos para realizá-los, é hora de traçar o mapa e seguir em frente – tudo o que você tem a fazer é encontrar as chaves que abrem as portas.

O caminho não é longo nem curto, e, como em toda viagem, as surpresas, os imprevistos e o desconhecido estarão presentes. Trechos em água, em terra e no ar são comuns. Mas outros dois tipos de meio podem ser solicitados: o subterrâneo e o limbo.

Para a bagagem

VONTADE

Inerente ao desejo, ela está no cerne do pensamento positivo. Todo querer nasce de uma vontade. E qualquer vontade, por menor que seja, é capaz de gerar um "pensamento aliado". O pensamento aliado é o embrião do pensamento positivo. É de vários pensamentos aliados que se faz um pensamento positivo.

Quando, por exemplo, você tem vontade de fazer um curso, essa vontade gera um pensamento aliado – estudar me trará conhecimento –, e mais outro – posso ser promovida no trabalho depois desse curso –, e ainda outro – meu salário vai aumentar. Em conjunto, esses pensamentos aliados *podem* levá-lo a pensar positivamente em estudar. *Podem* porque dependem de outros fatores, como coragem, persistência e amor-próprio.

CORAGEM

Não pode faltar na bagagem. Segundo os dicionários, coragem é, ao mesmo tempo, firmeza de espírito para enfrentar situações difíceis, determinação e ousadia. Para o líder judeu David Ben-Gurion (1886-1973), "a coragem está num tipo especial de conhecimento: saber temer o que deve ser temido e não temer o que não deve ser temido". Lembre-se da jaula do leão: você deve ter medo de ser devorado, mas não deve temer olhar nos olhos da fera. Os melhores e mais produtivos embates não são físicos.

PERSISTÊNCIA

Pode-se dizer que é sinônimo de constância. No entanto, a única coisa realmente constante é a mudança. Desse ponto de vista, a persistência só existe porque as coisas mudam. Continuar, persistir, perseverar são os verbos que devemos conjugar quando alguma coisa sai da rota. Anote: você vai precisar dela para ser positivo.

AMOR-PRÓPRIO

Amar-se é o primeiro passo para acreditar que você merece o que deseja. Sem amor-próprio, todo o resto – vontade, coragem e persistência – se esvai num sopro. Leve na bagagem de mão.

Não perca

Em qualquer viagem, há lugares que não se pode deixar de visitar. Na busca pelos seus objetivos, fique atento a certos museus, teatros e parques de diversão. Se você parar para pensar, vai ver que muito da vida é memória, representação e brincadeira. Vale a pena uma visitinha ao planetário, mas não tente desvendar a mensagem das estrelas. Ao contrário do que pode parecer, elas ficam bastante mal-humoradas quando não lhes damos a chance de nos surpreender.

MUSEU DA EXPERIÊNCIA

A memória é sábia. Desde que nos conhecemos por gente, ela vem catalogando nossas experiências, separando e etiquetando tudo, em gavetas, prateleiras e, muitas vezes, em estantes inacessíveis. O conhecimento é a base do pensamento positivo. Imagine que você quer mudar de emprego pela terceira vez. Por meio da memória, você sabe que já foi capaz de fazer isso duas vezes. Essa experiência vai, com certeza, impulsionar a sua decisão. É hora de partir para o Teatro de Mentewood.

TEATRO DE MENTEWOOD

Ser positivo implica imaginação, criação, representação. Para exercitar o pensamento positivo, você vai precisar se imaginar na situação pretendida. É o que muitos chamam de *técnica de visualização*. Se o seu objetivo é comprar um carro novo, imagine-se passeando nesse carro. Se a intenção é ocupar um cargo superior na empresa, imagine-se nesse cargo. Se, porém, na última vez que trocou de carro ou subiu de cargo, você teve uma péssima experiência, certamente terá medo de prosseguir. Nesse caso, dê um pulo no Teatro do Inverso.

TEATRO DO INVERSO

Vizinho do Teatro de Mentewood, é uma espécie de laboratório onde revisamos as experiências ruins e temos a chance de reciclá-las. Os três mandamentos do Teatro do Inverso são:

- Há males que vêm para o bem.
- Aprenda com seus erros.
- Não se entra duas vezes no mesmo rio.

PARQUE DO BOM HUMOR

Não há como pensar de maneira positiva se você não for capaz de rir de si mesmo ou da situação em que se encontra. E isso não é apenas engraçado – é muito sério. Quando você achar que chegou a um beco sem saída, o riso pode ajudá-lo a enxergar o caminho. Isso acontece porque, ao rir de nós mesmos ou da nossa situação, estamos, na verdade, enxergando o problema de fora, sob outra perspectiva.

PLANETÁRIO
Instigante e muito visitado, o Planetário representa o futuro. Temos o péssimo hábito de querer saber do amanhã antes de viver o hoje. Se alguém lhe contasse o que vai acontecer com você amanhã, provavelmente lhe tiraria o poder de escolha. Diz a sabedoria popular que, quando apontamos o dedo para uma estrela, escolhendo uma em meio a tantas no céu, ganhamos uma verruga no dedo. Talvez elas estejam querendo nos lembrar de que o poder de escolha está em nós, e não nelas.

OS ARQUÉTIPOS DA POSITIVIDADE, DA NEGATIVIDADE E DA IMOBILIDADE

Por último, ao longo dessa jornada, você vai deparar com personagens de todo tipo. Alguns são criações da sua mente; outros, de mentes alheias. Alguns vêm para ajudar; outros são pura armadilha. São personagens diversos, e costumo chamá-los *arquétipos da positividade, da negatividade* e *da imobilidade*. Desde criança, aprendemos a conviver com eles, e é por meio dessa galeria que construímos muitas de nossas crenças, capazes de nos tornar pessoas mais ou menos positivas.

Arquétipos da positividade

 A CONFIANÇA

Acredita em tudo o que faz. Dá ótimas aulas de pensamento positivo, mas é preciso tomar cuidado com seus excessos.

A atitude positiva não é impensada. Consulte as 10 Lições estratégicas para pensar positivo com sabedoria (Parte II).

2 A DETERMINAÇÃO

Ajuda o pensamento positivo a superar barreiras. Agarre-se a ela sempre que se achar menor que o obstáculo.

3 A ALEGRIA

Não se pode ser positivo sem ela. Quando tudo parece perdido, o melhor a fazer é procurar a sua companhia. As coisas alegres nos dão força para seguir em frente.

4 O DESPRENDIMENTO

Para os budistas, o apego leva ao sofrimento. Ser positivo é também saber a hora de partir, de deixar pra trás o que não importa, o que deve ficar no limbo. Ser positivo é não se apegar a qualquer coisa que apareça na sua frente.

5 O VISIONÁRIO

Se encontrá-lo, preste atenção ao que ele tem a dizer. O Visionário ajuda o pensamento positivo, na medida em que enxerga além das possibilidades. Quando você é capaz de vislumbrar o caminho atrás da montanha – mesmo sem vê-lo –, nada pode detê-lo.

Arquétipos da negatividade

1 O MAU HUMOR

Também está em toda parte. Não dê ouvidos aos seus disparates pessimistas.

2 A RAIVA

Pode estragar qualquer atitude positiva. Passe longe dela. É o tipo de personagem que aparece subitamente; por isso, para evitá-la, esteja a postos ao menor sinal de sua presença. Feche os olhos e respire fundo que ela vai embora. Se preciso, desvie seu pensamento para outras coisas.

3 O RANCOR

Funciona como uma bola de ferro amarrada nos pés do prisioneiro atirado ao mar. Por causa do peso, ele não consegue subir à superfície para respirar. Não caia na armadilha. O Rancor é um dos maiores inimigos do pensamento positivo.

4 A INVEJA

Ela mina sua capacidade de ser positivo, porque leva a pensar que só os outros conseguem de fato o que querem – e o que nós queremos. O invejoso deseja o desejo do outro, não o dele.

5 A PREGUIÇA

Não vai levá-lo a lugar nenhum. Se você tem preguiça de ir atrás de seus objetivos, ninguém fará isso por você. Mantenha-se bem-disposto.

Arquétipos da imobilidade

1 O CÉTICO

Ao contrário da Confiança, não acredita em nada, nem nele mesmo. Suas melhores frases são: "Não sei", "Pode ser" e "Quem sabe". Responde com indiferença a projetos e desejos. Os Céticos estão por toda parte e costumam nos apresentar a Dúvida.

2 A DÚVIDA

Tem mais idade que o mundo, mas nos parece jovial e intensa. É com ela que discutimos antes de optar por uma atitude positiva.

3 O RESIGNADO

Acha que tudo está ótimo exatamente como está. Pra que um emprego novo? Pra que mais dinheiro? Casa própria? Um novo amor? É difícil convencê-lo de que a vida é um sonho a ser realizado a cada dia. Mas não se preocupe. Siga em frente. Ele não se importará muito com você.

4 O PREOCUPADO

Está sempre com as duas mãos na cabeça e costuma fazer listas imensas dos prós e dos contras. Não despreze as suas listas, mas tome cuidado. O Preocupado tem tendência a dar ganho de causa aos contras.

5 O MEDO

Personagem assíduo, está sempre em nossos domínios. Costuma causar turbulências ao pensamento positivo, mas não deve ser completamente ignorado. Preste atenção ao que ele tem a dizer. Muitas vezes, suas palavras não têm o menor fundamento. Nesses casos, siga em frente.

Com esse roteiro básico sobre o que o espera na jornada em busca de seus objetivos, fique atento às **10 LIÇÕES ESTRATÉGICAS PARA PENSAR POSITIVO COM SABEDORIA**. São elas que vão guiá-lo na procura pelas chaves que abrem as portas.

PARTE II

10 LIÇÕES ESTRATÉGICAS
PARA PENSAR POSITIVO COM
sabedoria

···

1. OLHE PARA A FRENTE

A vida é uma estrada de mão única. Graficamente, o pensamento positivo pode ser representado por uma seta – a placa de "Siga em frente" logo no início da estrada. É simples, mas o simples nem sempre é fácil.

Dicas

SE VOCÊ SE SENTIR PARALISADO

Acontece com mais frequência do que se imagina. Sabe aquela sensação de não conseguir levantar da cama, de sequer conseguir abrir os olhos? Sentir-se paralisado é como desejar o sono profundo, na esperança – ou ilusão – de que a vida está lá fora, à sua espera. Mas ela não está. Para sair desse estado letárgico, concentre-se nas suas vontades. Lembre-se de que são elas que darão vida aos pensamentos aliados e, por consequência, ao pensamento positivo. Às vezes, o problema é o Medo, personagem que adora se instalar em nossos domínios bem próximo à placa de "Siga em frente". Nesse caso, tome uma boa dose de coragem e olhe nos olhos da fera. Quando encaramos o medo, ele se desfaz em pó.

SE VOCÊ SENTIR UM DESEJO INCONTROLÁVEL DE DESISTIR E O PÂNICO SE INSTALAR

A vontade de desistir nasce de uma série de pedrinhas que nós – ou os outros – atiramos no nosso lago. Um rebuliço de *pensamentos não aliados* e em fila toma conta da gente, como se tomasse um país. É o pânico – mistura de Medo e Dúvida. Para retomar o pensamento positivo, respire fundo e procure acalmar a mente. O pânico, quase sempre, não tem fundamento.

CUIDADO COM AS SAÚVAS

Elas estão em toda parte. Não são venenosas, mas a picada dói um bocado. Olhe para a frente, mas veja por onde pisa. Ser positivo não significa "estar fora do ar", alheio aos formigueiros do caminho. É preciso considerá-los. Investigue o terreno e verifique a sua posição. Se o seu sonho é, por exemplo, conquistar um cargo numa multinacional, avalie o ambiente de trabalho, a chefia, a filosofia da empresa. O entorno de um desejo realizado nem sempre é perfeito.

2. PREOCUPE-SE COM O PRESENTE

Não importa a religião que você professa, é preciso reconhecer que Jesus foi, com certeza, um homem sábio. Em "Preocupações exageradas", Mateus 6:34, ele aconselha com maestria: "Não vos preocupeis, pois, com o dia de amanhã: o dia de amanhã terá as suas preocupações próprias. A cada dia basta o seu cuidado".

Para muita gente, o pensamento positivo está ligado a algo no futuro. E está. Mas o futuro é filho do presente; é o hoje que vai determiná-lo. Portanto, ao longo da jornada, não se distraia com as bolas de cristal que cruzarem o seu caminho. Elas são apenas fruto da suposição. O futuro é um velho desconhecido, e o destino, a verdadeira surpresa do Universo.

Dicas

SE VOCÊ FOR DO TIPO SAUDOSISTA

O passado pertence à memória. Você pode usá-lo depois de catalogado para vistoriar suas experiências pregressas, mas não se apegue ao que já passou. O pensamento positivo pode limpar o leite derramado, mas nada pode evitar que ele tenha caído. Deixe as naftalinas no limbo.

SE VOCÊ FOR DO TIPO AFOBADO

Mesmo que você adiante o relógio, não fará o tempo passar mais depressa. O tempo tem seu próprio ritmo. Acelera e desacelera a seu bel-prazer. Ser positivo é estar em sintonia com esse ritmo, tirando proveito dele. Ao encontrar o Preocupado pelo caminho, experimente o seguinte truque: leve-o até o Planetário e peça-lhe que conte quantas estrelas existem no céu. Na prática, quando se sentir preocupado e ansioso, acompanhe os ponteiros do relógio, segundo a segundo. Você vai aprender que o tempo anda, mas não corre – afinal, quem corre tem mais chance de tropeçar.

COLHA, MAS NÃO SE ESQUEÇA DE PLANTAR

Quando o assunto é se concentrar no presente, muita gente logo pensa na famosa frase do poeta romano Horácio (65 a.C.-27 a.C.): *Carpe diem* (colha o dia, aproveite o presente). Certíssimo. Afinal, só temos o hoje. Mas o verso de Horácio não para por aí. Na sequência vem: *quam minimum credula postero* (confie o mínimo no amanhã). Ser positivo é aproveitar o hoje, o que não significa ignorar completamente o amanhã.

3. AGRADEÇA E APRECIE O QUE TEM

Quando se fala em pensamento positivo, a primeira coisa que vem à cabeça é "conseguir o que se quer", "alcançar objetivos" ou "realizar desejos". Poucas pessoas se dão conta da importância de agradecer pelo que já têm. Nós, de modo geral, temos o péssimo hábito de pedir e nunca agradecer. Quantas promessas você já deixou pelo caminho, sem cumpri-las? Quantas vezes pensou em enviar um cartão de agradecimento a alguém e acabou esquecendo a ideia em uma gaveta? Agradecer faz parte de pedir. Para que o pensamento positivo funcione, você não pode cometer essa gafe com o Universo.

Outro péssimo hábito que costumamos cultivar é o descaso pelas coisas que já conquistamos. É um fenômeno gradual. Você compra um computador novo. Nos primeiros meses, morre de ciúme dele. Quase todo dia lhe tira o pó e mantém os vãos do teclado impecáveis. No primeiro acúmulo de salgadinho, você não pensa duas vezes e vai em busca de um miniaspirador de teclado. Seis meses depois, o miniaspirador repousa no fundo de uma gaveta qualquer, o teclado está sempre sujinho, e a tela, bem, na contraluz percebe-se que ela não é mais a mesma...

Muitas vezes, nossa empolgação parece ter prazo de validade. Quando esse prazo vence, tendemos a não nos importar tanto com o bem conquistado. Aprecie as coisas que você conquista e preste atenção àquelas que sofrem com seu descaso. Será que você realmente as queria?

Dicas

SE VOCÊ REALIZOU UM DESEJO...

Imagine que você está num momento da jornada em que acaba de realizar um desejo. Encontrou a chave que abre a porta. Muito bem. Antes de entrar, porém, pare e agradeça ao Universo. Vocês trabalharam juntos para que o seu desejo se realizasse.

SE ALGO QUE VOCÊ CONQUISTOU PERDEU O VALOR...

Não pense simplesmente em substituí-lo. Tente reciclá-lo de alguma forma. Você tinha certeza de que queria um carro novo. Juntou dinheiro e comprou um. Agora resolveu que o melhor mesmo é passar uma temporada na Austrália, mas não tem dinheiro para isso. Em vez de pensar "Maldita hora em que fui comprar esse carro", pense "Posso vendê-lo e dar início à minha poupança para a viagem" ou, ainda, "Posso juntar dinheiro novamente e viajar depois". De nada vai adiantar ficar maldizendo o carro, esperando que o Universo tenha pena de você e lhe compre uma passagem rumo à terra dos cangurus. O pensamento positivo não é estático, é articulador.

4. NÃO CONFUNDA O QUE VOCÊ QUER COM AQUILO DE QUE PRECISA

Essa lição retoma a primeira parte deste livro. É preciso avaliar suas vontades e selecionar os desejos genuínos. Pode-se dizer que confundir os desejos com as necessidades é a causa primeira do consumismo.

E, quando o assunto é esse, sempre me lembro da tia de uma amiga de infância. Ela morava numa cidade pequena. Por lá não tem cinema nem teatro, e as casas noturnas são raras. Quando eu era criança ficava impressionada com a quantidade de roupas, maquiagem e perfumes que ela tinha. Eu e minha amiga costumávamos nos divertir, experimentando tudo – de batons a perfumes, passando pelas roupas. A tia da minha amiga sempre se arrumava muito, mas eu tinha a impressão de que nunca a tinha visto com todas aquelas roupas diferentes. Costureira de mão-cheia, estava sempre à máquina, tecendo novos modelitos. Um dia, muito tempo depois, me lembro de tê-la visitado. No quarto, o armário era de fazer inveja a muita loja por aí, tamanho o estoque. A cidade, porém, continuava a mesma, e ela quase não saía de casa, embora os modelitos novos não parassem de brotar da velha máquina de costura. Hoje me pergunto se ela realmente quer ter todas aquelas roupas. Será que não procura simplesmente o poder de escolha? Às vezes confundimos o que precisamos com aquilo que queremos, como se pedíssemos café sem xícara.

Dicas

A PRESSA É AMIGA DA CONFUSÃO

Muitas vezes, não conseguimos distinguir nossos verdadeiros desejos simplesmente porque estamos com pressa. A vida agitada e as cobranças diárias nos levam a escolhas precipitadas, a achar que queremos algo que, na verdade, não queremos. Quando isso acontece, o pensamento positivo se apoia no vazio dessa incerteza. Você pode até conseguir o que pediu, mas ainda vai se sentir infeliz. Portanto, não tenha pressa para decidir o que quer. Pense, avalie e então peça. De preferência com o café dentro da xícara.

A TÉCNICA DO CADERNINHO

Quando estamos em dúvida sobre o que queremos de fato, o melhor a fazer é escrever, pôr no papel, na ponta do lápis. Você já reparou na enorme diferença que existe entre dizer uma coisa e escrevê-la? Ao falar, as palavras voam; quando escrevemos, elas vêm de carruagem. Dessa forma, fica mais fácil destrinchar os desejos com segurança. Escolha um caderno pequeno e separe-o para esse tipo de anotação. Sempre que desejar algo, responda por escrito: O quê? Por quê? Para quê? E vá escrevendo. Não tenha pressa para responder. Se sentiu dificuldade em alguma das respostas, feche o caderno e deixe para amanhã. Dê um prazo para destrinchar cada desejo, para que eles não caiam no limbo antes de serem analisados.

SÓ ACREDITAMOS DE VERDADE NAQUILO QUE QUEREMOS DE VERDADE

O pensamento positivo implica conjugar verbos como "crer", "acreditar", "confiar". Mas só podemos acreditar, crer e confiar naquilo que de fato queremos. Muitas vezes, o Universo nos dá uma mãozinha, levando-nos a viajar pelo subterrâneo, pela origem de nossos sentimentos, de nossa essência. Sempre que deparar com o subterrâneo, não fuja, não tenha medo. O auto--conhecimento dá sustentação ao pensamento positivo.

Vá a pé.

5. ESTEJA PREPARADO PARA PEGAR ROTAS ALTERNATIVAS

Não se pode perdê-las de vista. Não existe apenas um caminho para chegar ao seu objetivo, e, no fundo, a sua mente sabe disso. Qualquer bom estrategista tem um plano B na manga. Se você tentou, mas não conseguiu, experimente mudar de tática. Vamos a um exemplo prático. Minha irmã era professora de Geografia na rede de ensino do seu estado. Era ótima profissional, mas ganhava pouco. Gostava mais do que havia estudado do que exatamente daquilo que fazia. Durante toda a faculdade, tinha ouvido a mesma ladainha: deveria seguir o magistério ou a pesquisa. Por alguns anos, tentou crescer no emprego, melhorar o salário. Eu achava que os alunos – e o magistério – a faziam feliz, mas não na medida exata do que ela merecia.

Não tardou e o Universo lhe deu um toque, uma nova proposta de trabalho que, aparentemente, nada tinha a ver com sua carreira: editar livros didáticos de Geografia.

Lembro que, na época, ela bradava:

– Como vou editar qualquer coisa se nunca fiz um curso nessa área? Eu sou professora de Geografia, e não editora de livros!

Durante alguns meses, ela ficou nessa indecisão, até que certo dia alguém lhe perguntou:

– Quem foi mesmo que lhe disse que você deveria seguir o magistério ou a pesquisa?

Minha irmã não se lembrava.

Hoje, ela reúne no currículo obras importantes de Geografia que já editou, trabalha na coordenação editorial de uma grande empresa do ramo e não se lembra de como ficou indecisa entre a pesquisa e o magistério.

6. PERMITA-SE CHORAR

Ser positivo não é viver em um mar de rosas brancas, sorrindo para o que der e vier. Às vezes, as coisas realmente não dão certo na primeira vez, não dão certo na segunda, nem na terceira. E tudo o que conseguimos fazer é chorar. Não se culpe. Não nos daríamos lágrimas se não fosse permitido chorar. O choro ajuda a descarregar o sentimento de frustação e renova a mente para o próximo passo.

Dicas

NÃO SE DEIXE AFOGAR NAS PRÓPRIAS LÁGRIMAS

Chorar é bom. Mas, como tudo na vida, existe um limite. Não se entregue ao choro como se ele fosse a sua tábua de salvação. Ser positivo requer coragem para dizer: "Muito bem. Agora chega. Vamos em frente". Assoe o nariz e lave o rosto; observe a enorme lagoa que se formou, mas nade em direção à margem.

RETOME A REFLEXÃO SOBRE O QUE VOCÊ QUER

Às vezes, o Universo não conspira a nosso favor; é a maneira que ele encontra para nos dar um toque de que é hora de mudar a rota, por exemplo. Mas não saia desistindo de seus objetivos simplesmente porque é a terceira vez que você chora por eles. Esse tipo de decisão – mudar a rota, desistir de um caminho – precisa levar em conta alguns fatores:

- Os avisos do Universo: Quantas vezes você já tentou e não conseguiu?
- A sua autoavaliação: Será que você traçou a melhor estratégia? Por que não deu certo?
- Revisão dos desejos: Por que você está em busca disso mesmo?

7. NÃO RESPONSABILIZE OS OUTROS POR SUAS PERDAS

Para mascarar a falta de estratégia, muita gente põe a culpa nos outros quando alguma coisa sai errado. Ser positivo é ser sincero consigo: se você errou, assuma o erro. Quando assumimos nossas falhas, ganhamos uma nova oportunidade, que não nos seria oferecida se ficássemos escondidos debaixo da mesa.

Dicas

ASSUMINDO OS PRÓPRIOS ERROS

Essa tarefa nem sempre é fácil. É preciso treinar. Ao assumir um erro, temos medo de ser repreendidos ou censurados. Pense, porém, no alívio que sentimos na mente e no coração um tempo depois – às vezes minutos – de ter dito "Eu errei". É impressionante como a maioria esmagadora das pessoas – até mesmo as mais duras e insensíveis – baixa a guarda ao ouvir essa frase.

A OPORTUNIDADE NA PERDA

O médico e bacteriologista Alexander Fleming (1881-1955) teve de perder uma de suas culturas de bactérias para descobrir a penicilina. Médico militar durante a Primeira Guerra Mundial, Fleming tinha ficado impressionado com o poder daqueles minúsculos seres, responsáveis por muitas infecções fatais. Os soldados eram feridos e, na falta de um medicamento capaz de impedir a proliferação de bactérias, acabavam morrendo.

Quando a guerra acabou, o médico passou a pesquisar incessantemente uma maneira de acabar com esses microrganismos. Contam que seu laboratório era uma verdadeira colônia de bactérias. Não à toa: Fleming precisava observá-las de perto e, por isso, dava aos microrganismos todas as condições para procriar. Certo dia, porém, descobriu que uma de suas culturas prediletas – uma comunidade de estafilococos – estava embolorada. O médico ficou bastante chateado, afinal se supõe que não era fácil criar bactérias... O bolor, provocado por um fungo, crescia a olhos vistos. Antes de jogar a cultura fora, porém, Fleming resolveu examiná-la de perto. E então, daquela perda lastimável, brotava a oportunidade. O médico notou que boa parte das bactérias estava morta – o fungo as havia exterminado. Fleming descobria, nesse momento, a penicilina, precursora dos antibióticos modernos.

Portanto, quando achar que perdeu, concentre-se em três premissas básicas:

- Não culpe os outros; ainda que alguém, além de você, tenha alguma responsabilidade nisso, de nada vai adiantar procurar culpados. A vida não é um banco de réus.

- Se você errou na estratégia, assuma o erro.
- Observe a perda de perto. Se Fleming tivesse jogado a cultura de bactérias contaminada fora e tentado apenas esquecer o dissabor, não teria descoberto a penicilina. Pode ser mais um aviso do Universo.

8. TRABALHE. DEPOIS DO HORÁRIO, SE PRECISO

Não existe pensamento positivo que sobreviva à falta de garra. Mesmo que você deseje com toda a sua força, provavelmente não sairá do lugar se não trabalhar duro para conseguir o que quer. De nada adianta passar o fim de semana fazendo planos mirabolantes sobre como montar o próprio negócio, fazer aquela viagem ao exterior ou encontrar um grande amor se, na segunda-feira, você deixar de ser o imaginário super-homem – ou supermulher – para continuar na mesmice de "fazer o mínimo". Trabalhe para pôr os seus planos em prática.

Dicas

SE EU TIVESSE, SE EU GANHASSE, SE EU...

O subjuntivo costuma finalizar as lindas histórias de quem quer, mas não vai à luta. Se eu tivesse dinheiro, se eu ganhasse na loteria... Sempre tem um "se" para pôr ponto-final na ideia. Portanto, para exercitar o pensamento positivo, esqueça o subjuntivo. Trabalhe com foco no que você quer.

NÃO DÊ OUVIDOS AOS VERANISTAS DE PLANTÃO

Para eles, a vida acontece apenas nos feriados prolongados. Não abrem mão sequer de um fim de semana; vão a todos os shows, festas e afins. Nenhum problema até aqui, a não ser pelo fato de que, quando não estão se divertindo, estão criticando o trabalho, a vida profissional que levam ou a falta de perspectiva que se abate sobre eles. Os veranistas de plantão sempre acham que os outros trabalham demais, que a missão deles é "resgatá-los" dessa vida. Afinal, o trabalho serve apenas para o pão de cada dia; todo o resto é questão de sorte. Desfrute a companhia agradável desses veranistas, mas não se deixe levar por eles. Se achar que precisa esticar o horário para chegar a um objetivo, não hesite. A praia e o bar não sairão do lugar.

SEJA PONDERADO

Não se deixar levar pelos veranistas de plantão não significa que você deva se tornar um ermitão do trabalho, fechado entre quatro paredes, com o nariz na tela do computador. A mente precisa de refresco para operar com sabedoria e destreza. Passeie, viaje, saia com os amigos, pratique um esporte ou desenhe. Um dos conselhos mais sábios que já ouvi veio de um professor de Física, que ensinava óptica, durante o curso preparatório para entrar na universidade. Era um homem baixo, de origem nipônica. Entrava na sala de aula às 7 horas da manhã aceleradamente, como se estivesse disputando uma maratona. Chamava-se Nishi e usava um jaleco branco e uma espécie de batuta, comprida, maior do que ele, que servia para apontar os olhos míopes e hipermetropes que desenhava previamente na lousa. Todos o viam como o perfeito caxias. Ele não deixava ninguém desviar os olhos do imenso quadro-negro, mesmo que a plateia estivesse caindo de sono. Até que um dia, ao ensinar que os músculos dos olhos se contraem quando enxergamos de perto, ele concluiu: "Os músculos relaxam quando olhamos ao longe; por isso, de vez em quando, se estiverem cansados, olhem pela janela". A classe gargalhou. Afinal, ele era a última pessoa de quem se podia esperar um comando de descanso. Mais tarde, porém, compreendi a sabedoria daquele baixinho: mesmo que você trabalhe muito, vai precisar olhar pela janela, ao longe; mudar o foco relaxa os músculos dos olhos – e também a mente.

9. VALORIZE AS PEQUENAS CONQUISTAS

Um de nossos grandes erros é não enxergar, ou não valorizar, as pequenas conquistas. Muitos objetivos não são alcançados em uma única tacada. Para construir uma casa, por exemplo, primeiro se faz o alicerce; em seguida, erguem-se as paredes; e só então vem o telhado. Ser positivo é saber trabalhar em etapas, valorizando as pequenas conquistas.

Dicas

SEJA PACIENTE

As pequenas conquistas mostram que as próximas estão a caminho. É como fumaça e fogo. Se você teve um pequeno êxito, faça dele um degrau. Não espere chegar ao topo da escada sem ter passado pelo meio. A paciência está entre um degrau e outro. Continue subindo.

NÃO GUARDE AS PEQUENAS CONQUISTAS NA GAVETA

Essa atitude é causada pelo sentimento imediato de frustração, que, com frequência, toma conta de nós quando esperamos por

A e deparamos com B. O primeiro impulso é desdenhar do feito, alegando que "não era bem isso o que eu queria". Antes de terminar a frase e fechar a gaveta, dê uma olhada no que você conquistou. Ser positivo também consiste em descobrir possibilidades onde você menos espera, muitas vezes em algo oposto àquilo que se deseja.

10. PROCURE ENXERGAR ALÉM

Retome a lista de desejos que você fez quando começou a ler este livro. Escolha qualquer um deles. Ao pensar no que é preciso para realizá-lo, qual é a primeira coisa que passa pela sua cabeça? Provavelmente, as dificuldades e toda sorte de personagens, como a Dúvida, o Preocupado e o Medo. É isso que acontece com todos nós, pelo menos enquanto ainda não estamos treinados a pensar positivo com sabedoria.

Agora que você chegou à décima lição, é hora de aprender a enxergar além. Ser positivo não significa deixar de ver as adversidades, mas sim ver além delas. Figuradamente, é vislumbrar a estrada florida que se esconde atrás da montanha. Na prática, é enxergar, por exemplo, uma carreira promissora num simples estágio por hora, mal-remunerado, e, assim, trabalhar a valer para conquistar uma vaga melhor, em vez de "bater o ponto em ponto".

Dicas

EXERCITE A IMAGINAÇÃO

Se você deparasse com uma montanha e alguém lhe perguntasse "O que você acha que tem atrás dela?", com certeza a sua primeira reação seria *imaginar*. Portanto, quando estiver diante de uma adversidade ou de uma situação próxima ao seu desejo, tente imaginar o que pode haver atrás delas. É investigando que encontramos o caminho para ser positivo, para pensar além dos fatos.

LIVRE-SE DA CAVERNA DE PLATÃO

Segundo o mito da caverna, descrito pelo filósofo grego Platão em sua obra *A República*, um grupo de pessoas nasceu numa caverna escura, separada do mundo exterior por um muro bem alto. Acorrentadas e de costas para a entrada da caverna, nunca haviam saído dela, e tudo o que vislumbravam eram sombras que se projetavam na parede à sua frente – resultado de uma fogueira acesa do lado de fora e cuja luz adentrava a caverna por uma pequena abertura. Para essas pessoas que estavam na caverna, as sombras são o mundo. Certo dia, uma delas conseguiu escapar dali, escalou o muro e, após alguns instantes sendo ofuscado pela grande luminosidade do Sol, descobriu que o mundo real estava lá fora, incluindo os seres e as coisas que produziam as sombras que ela via na parede da caverna.

Livrar-se da caverna de Platão é enxergar além do muro. Ser positivo é querer sair da caverna.

Encontrar a chave que se encaixa na fechadura é o primeiro passo para abrir a porta. No entanto, nem sempre conseguimos girar a chave; temos a impressão de que somos sumariamente impedidos de fazê-lo. Às vezes, nos culpamos por isso; às vezes, culpamos os outros. Para muitos mestres espirituais e gurus, o problema está nas frases negativas que pronunciamos, como se elas fossem poderosas poções do mal.

A verdade, porém, é que fugir do inimigo não ajuda a enfrentá-lo, muito menos a derrotá-lo. É preciso encarar o pensamento negativo, conhecê-lo a fundo. Todo veneno tem seu antídoto.

PARTE III

encarando
O PENSAMENTO NEGATIVO

Para muita gente, palavras positivas produzem pensamentos positivos, ao passo que palavras negativas dão origem a pensamentos negativos. Embora à primeira vista isso pareça uma verdade irrefutável, não se iluda. A mente não é simplista. Segundo cientistas, a transmissão de informações no cérebro funciona principalmente por meio das sinapses, pequenas "pontes" que ligam um neurônio a outro. A mente trabalha com associações: uma palavra é capaz de trazer um sentimento, um perfume, uma cena, ou, o contrário, um objeto pode fazer brotar uma palavra, uma sensação. No entanto, o caminho não é linear.

Os cientistas já descobriram que esse processo não é, como eles chamam, unidirecional, de um neurônio a outro. Ao contrário, é difuso, caótico. Imagine que uma sinapse é uma ponte de Monet (1840-1926), pintor impressionista. Se você a atravessasse, veria a paisagem dos dois lados da ponte, além do rio embaixo e do céu em cima. Ao passar de um neurônio a outro, é como se o impulso nervoso fosse captando o que existe à sua volta, associando imagens, sentimentos, palavras, sensações.

Para compor uma ideia ou um conceito, milhares de sinapses acontecem. Nossa mente pode ser comparada a uma imensa tigela em que se prepara a massa de um bolo. Separadamente, farinha, ovos, óleo e chocolate são apenas ingredientes e não se parecem em nada com um bolo. Associados, ganharão a forma que o confeiteiro lhes queira dar.

Você pode fazer o que quiser com as palavras e com os pensamentos. Basta associá-los com sabedoria. É dessa maneira que palavras como "não", "jamais" e "nunca" podem formar sentenças absolutamente positivas e otimistas. Você não tem que evitar o *negativo*. Tem, sim, de encará-lo, para que não se transforme em *negatividade*. Para que o bolo não desande.

NEGATIVO *VERSUS* NEGATIVIDADE

Não há dúvida de que o *negativo* existe. Sem ele, não poderíamos fazer nossas escolhas, aceitar ou recusar algo. Mas também é verdade que podemos escolher algo positivo com palavras ou expressões negativas: "Não vou mais deixar a luz acesa se não a estiver usando", "Não vou deixar de ir à sua festa", "Não quero mais brigar com você". São negativas que levam a positivas. Mesmo frases como "Não vou conseguir", "Não vou chegar lá" e "Não sou capaz" não têm, em princípio, o poder negativo que a fama costuma lhes dar. Um "não" da boca para fora tem tanta força quanto um "sim" da boca para fora, ou seja, nenhuma.

Numa analogia simples, o negativo é um átomo de hidrogênio no laboratório. Pode virar água ou ácido, conforme o desejo do cientista. Na prática, você não pode negar o negativo, mas pode controlar o seu comportamento. Fugir de um "não" ou de um "jamais" implica deixá-lo livre para se combinar como quiser, com quem quiser. Se o confeiteiro não avalia a qualidade e o potencial de seus ovos, corre o risco de adicionar um ovo podre à receita. O ovo podre é o negativo, mas ele não fará mal ao bolo se não for adicionado à massa.

Vamos supor que você tenha brigado com um amigo e lhe dito coisas "muito negativas", como "Não quero mais sua amizade", "Não gosto de você", "Você faz tudo errado". Depois da briga, se você encarar as frases que disse e rever os motivos da briga, lembrando-se do afeto que sempre teve por aquela pessoa, vai acabar descartando-as uma a uma, até fazer as pazes com seu amigo. Se, ao contrário, você deixar tudo como está, não pensar mais no que disse e, assim, não falar mais com seu amigo, com certeza estará remoendo essas – e outras – frases da discussão, cultivando-as, adicionando-as à massa. A isso chamo *negatividade*.

Ao longo da jornada em busca da realização de nossos desejos, a negatividade nos espreita na forma de arquétipos: o Mau Humor, a Raiva, o Rancor, a Inveja e a Preguiça, que você conheceu na Parte II deste livro, são alguns deles, e você pode encontrá-los a qualquer momento. Dispostos a atravancar os nossos sonhos, todos têm suas artimanhas e costumam lançar fagulhas com potencial para causar verdadeiros incêndios. Quando não conseguem espalhar o fogo como desejam, fazem alianças com os arquétipos da imobilidade. Veja algumas das alianças mais perigosas e as táticas para coibi-las.

O RANCOR E O RESIGNADO

Quando o Rancor se alia ao Resignado, o objetivo é persuadi-lo de que o primeiro é a razão do segundo, sedimentando os ressentimentos, até transformá-los em montanhas sufocantes de negatividade.

Tática

Não guarde mágoas de ninguém. O único prejudicado será você.

A PREGUIÇA E A DÚVIDA

A primeira é tudo de que a segunda precisa para fazer a vida de qualquer um atolar. É a Preguiça que nos faz optar pela atitude mais negativa, quando podíamos escolher a mais positiva.

Tática

Não deixe que suas dúvidas perdurem por muito tempo. Procure resolvê-las. Se você tem dificuldade nesse sentido, recorra às listas. Pegue um papel e escreva cada uma de suas dúvidas, não se esquecendo de listar todos os prós e contras de cada decisão possível. Quando enxergamos o todo, fica mais fácil escolher. Ninguém se decide por uma camisa ou outra vendo apenas as mangas.

A INVEJA E O MEDO

A Inveja nos leva a pensar que só os outros conseguem de fato o que querem e o que nós queremos, certo? Temos ainda a chance de acreditar que também somos capazes de conquistar, tal como conseguiram os invejados. Associada ao Medo, porém, a Inveja nos tira essa possibilidade, deixando o terreno ainda mais fértil para a negatividade.

Tática

Encare o Medo primeiro. Quando desmascarar suas teorias infundadas, ficará mais fácil lutar contra a Inveja.

O MAU HUMOR E O CÉTICO

Como os dois estão em toda parte, tornam-se facilmente aliados. O Mau Humor aplaude a falta de projetos e desejos do

Cético, afinal, "nada vai dar certo mesmo, bem faz ele em não acreditar". Com isso, acumulam-se pilhas de indiferença, um tipo de negatividade que assassina os sonhos antes que eles nasçam.

Tática

Regra número um: sorria. O Mau Humor tem alergia a sorrisos. Com ele bem longe, não haverá aliança que resista. Quanto ao Cético, use o princípio da vacina, descrito no antídoto contra a indiferença (veja pág. 56).

A RAIVA E O PREOCUPADO

Apesar da aliança, a Raiva não suporta as listas que o Preocupado faz. Concentre-se nessas listas, ou seja, separe o que realmente é preocupante daquilo que é apenas bobagem. Quando se der conta, a Raiva já terá ido embora.

CUIDADO: A NEGATIVIDADE SE CONSTRÓI...

A negatividade é complexa, capciosa e dissimulada. Cresce rapidamente e nos invade pelas entranhas, minando aos poucos nossas estruturas. Segue por caminhos labirínticos, tentando, muitas vezes, nos ludibriar, fazendo-se passar por nossa consciência: "Você está certo em ficar com raiva! Olha só o que ele fez", "Se eu fosse você, não perdoava. Onde já se viu uma coisa dessas?", "Tem coisas que não podemos esquecer", e assim por diante.

Cuidado com essas ciladas da mente. Fique atento às palavras, às suposições, às distorções e ao autoengano. Eles podem construir a negatividade.

... DAS PALAVRAS

Sozinhas, elas pouco podem, mas, quando se juntam, são capazes de derrubar ou empossar governos. Bem usadas, conquistam, desprezam, somam, multiplicam e dividem. No caso das negativas, não estragam o bolo se não forem à massa. Com as positivas, ocorre o inverso: caso o confeiteiro não use os ingredientes certos ou não acredite na sua receita, o bolo corre o risco de não crescer.

Na construção da negatividade, as palavras se aliam para formar conceitos. E não pense que basta vistoriar apenas aquelas com mais potencial negativo. Todas as palavras podem contribuir para a negatividade se não forem domadas.

Na prática

NÃO SE DESCUIDE DAS ORAÇÕES

As orações seguem o princípio da associação. Verbos, adjetivos, substantivos, artigos, preposições etc. se associam para compor ideias e conceitos, positividades ou negatividades. Cabe a você associá-las com sabedoria. Não à toa, o nome "oração" também designa a prece que se faz a Deus ou a um deus, a uma entidade, ao Universo. Daí se conclui o tamanho de sua importância.

TOME CUIDADO COM OS ADJETIVOS

Eles estão ligados às qualidades, aos elogios, mas também se relacionam com os julgamentos. Um julgamento, como "Isso está certo" ou "Isso está errado", pode plantar a semente da negatividade.

PRESTE ATENÇÃO AOS VERBOS

Podemos dividi-los aqui em *verbos de ação* (agir, fazer, correr, ir etc.), *verbos de estado* (estar, permanecer, ficar etc.) e *verbos de retração* (voltar, regredir, retroceder etc.). Fique atento à sua complementação. Você pode correr *atrás*, estar *alegre* ou voltar a *lutar*. Mas também pode correr *para trás*, estar *triste* ou voltar ao *ponto morto*.

... DAS SUPOSIÇÕES

Quando não conhecemos um fato ou uma pessoa, temos tendência a fazer suposições. Das suposições nascem muitas ideias equivocadas, capazes de plantar sementes de negatividade. Na clássica peça *Otelo*, de Shakespeare, por exemplo, Iago leva Otelo a todas as suposições possíveis para fazê-lo pensar que Desdêmona estava tendo um caso com Cássio. A trama funciona, e Otelo acaba matando Desdêmona, por considerá-la infiel injustamente.

Para escapar às suposições, é preciso, primeiro, reconhecê-las como tal. Separe-as dos fatos e não deixe que acumulem. Elas podem sufocá-lo.

Em seguida, encare uma a uma.

Na prática

Você viu um colega de trabalho conversando com o chefe depois do expediente. A conversa lhe pareceu animada, e por um instante você os ouviu pronunciar seu nome. Primeira suposição: estão rindo à minha custa. Segunda suposição: estão tramando algo contra mim. Pronto. Nesse caso, bastam duas suposições para que você comece a alimentar algum tipo de negatividade contra o chefe, contra o colega ou contra si mesmo.

Quando isso acontecer, experimente usar seu lado pesquisador: cheque cada uma das suas suposições – hipóteses – com imparcialidade. Na maior parte das vezes, elas são falsas, e o chefe e seu colega só estavam elogiando o seu trabalho.

... DAS DISTORÇÕES

Acontece diariamente. Distorcemos fatos, palavras e atitudes. Tal como acontece com as suposições, as distorções podem gerar ideias equivocadas e semear a negatividade. A diferença entre uma e outra está na certeza. Enquanto as suposições ainda são acompanhadas pela Dúvida, as distorções já nascem seguras de si mesmas.

Na prática

Alguém diz A, e você entende B, ou prefere entender B. É mais ou menos assim que funcionam as distorções. Para não cair nessa armadilha, ouça com atenção, mesmo que não concorde. As distorções têm o poder de reforçar ideias preconcebidas, levar à indiferença e ao pessimismo. Portanto, ouça e, se preciso, ouça novamente.

... DO AUTOENGANO

Mentir para si mesmo. É nisso que consiste o autoengano. Jean-Paul Sartre (1905-1980) o chamou de má-fé. Segundo o filósofo francês, mentimos para nós mesmos porque queremos fingir que não somos livres para fazer nossas próprias escolhas, afinal é mais fácil acreditar que o destino, a sorte ou a providência divina podem fazê-las por nós.

Cultivar o autoengano, ou a má-fé, é fugir da angústia que sentimos quando percebemos que nosso futuro depende tão somente das nossas escolhas. É, no fundo, fugir da responsabilidade que temos sobre os nossos desejos e cultivar a ideia – a negatividade – de que não precisamos, de fato, tê-los.

Na prática

Não existe um plano traçado para você cumprir na Terra. Estamos todos neste mundo com o propósito de ser felizes, de buscar a felicidade na realização de nossos desejos. Tudo que sua mente é capaz de pensar você é capaz de fazer. É natural que você se sinta como o cosmonauta soviético Yuri Gagarin (1934-1968) ao avistar a Terra do espaço: imerso num misto de assombro e alegria. Mas, acredite, a Terra é *realmente* azul.

Para cada negatividade, há sempre um meio de exterminá--la ou, melhor, de impedir que ela se instale. A seguir, conheça **10 NEGATIVIDADES E SEUS ANTÍDOTOS**.

PARTE IV

10 NEGATIVIDADES E SEUS *antídotos*

1. ÓDIO

Muitas vezes apresentado pela Raiva, o ódio é implacável com o pensamento positivo. Ao odiar alguém ou alguma coisa, não lhe sobra tempo – tampouco energia – para buscar os próprios objetivos. O ódio consome nossas expectativas e não nos deixa avançar.

Antídoto

Não se apegue à Raiva. Encare-a como se encarasse o leão na jaula. Vire as costas e vá em frente. Se o ódio já tiver se instalado, apele para uma limpeza de espírito. Reflita sobre o que o fez nutrir esse tipo de sentimento e pense na pessoa ou na coisa odiada como se ela fosse um bebê. Quando nos dispomos a ter uma conversa franca com sentimentos desse tipo, costumamos descobrir que, no fundo, eles são frágeis, apenas besouros disfarçados de hipopótamos.

2. VINGANÇA

Costuma ser acompanhada pelo Rancor. As negatividades são poderosas por isto: tornam-se grandes aliadas. Não caia nessa arapuca. Tal como o ódio, a vingança tem o dom de nos manter estagnados, embora tenhamos a impressão de que ela é uma mola propulsora.

Antídoto

Pense no alvo da sua vingança. Em seguida, pense no porquê desse desejo. Vamos supor que alguém lhe passou para trás no emprego e, agora, você tem a oportunidade de apontar um erro dessa pessoa, vingando-se. Procure enxergar a situação de fora: de longe é possível ver as coisas com imparcialidade. Em vez de apontar o erro do colega, concentre-se em fazer o seu melhor, na sua função. Você ganha quando luta por você, e não quando luta contra alguém.

Para se desfazer desse tipo de negatividade, vá moendo cada pedacinho do desejo de vingança aos poucos. Tal como nasceu, ele morrerá.

3. AUTOPIEDADE

Perigosa, muitas vezes é confundida com a humildade, mas pode carregar boa dose de egocentrismo. Esse tipo de negatividade nos leva a ter pena de nós mesmos porque passamos a nos julgar reféns do destino, abandonados à sorte. Passamos o dia a repetir que ninguém nos entende, ninguém nos ama, e, portanto, não há nada que possamos fazer. No fundo, clamamos por atenção, como se fôssemos o centro do Universo e tudo o que tivéssemos a fazer fosse esperar, sentadinhos, comportados, pelos favores dos deuses. Afinal, somos vítimas. Em meio à autopiedade, não se pode ser positivo. As vítimas esperam, não fazem.

Antídoto

Olhe bem para você e considere suas qualidades. Pergunte-se: Por que estou com pena de mim? Por que me sinto tão infeliz, desditoso, desventurado? Você vai perceber que, em boa parte das respostas, *os outros* são o problema. Pois é aí que mora o veneno. Os outros não são o problema.

O problema é o que você faz deles. Em vez de esperar que alguém faça algo por você, vá à luta e faça você mesmo.

4. VERGONHA

Tímida, a princípio não tem o menor jeito de negatividade. No entanto, quando "bem nutrida", torna-se vilã dos nossos sonhos e desejos. A vergonha nos rouba as oportunidades, não nos deixa subir sequer o primeiro degrau.

Antídoto

Livrar-se da vergonha é achar-se capaz de acertar. Mais do que isso: é estar tranquilo para errar. Quando se sentir envergonhado, tenha em mente que os melhores e mais fortes acertos costumam nascer de um erro. Eliminar a vergonha é questão de treino. Nas primeiras tentativas, você vai se sentir, digamos, um pouco "desajeitado". Mas não desanime. Tire os olhos da plateia e faça o *seu* show. Você sabe, você pode. Ou não estaria aqui.

5. INTOLERÂNCIA

Somos intolerantes com os outros, com nós mesmos, com os fatos. Quando tomados por ela, ficamos incapazes de enxergar além do muro porque tudo nos parece insuportável, intolerável. Desse modo, os outros, os fatos, nós mesmos e tudo mais que não toleramos se transforma em obstáculos insuperáveis.

Antídoto

Estimule a sua capacidade de perdoar. Não tenha medo, vergonha ou receio de perdoar as suas faltas ou as faltas alheias.

Muitas vezes, o que julgamos intolerável é apenas um cisco no olho. Tire o cisco e olhe de novo. O incômodo terá passado.

6. PRECONCEITO

Costuma se arraigar com força e tem o péssimo hábito de dizer que não está ali. Inimigo das grandes oportunidades, pode levar à falência qualquer plano. Como toda negatividade, o preconceito é uma ideia cultivada capaz de nos levar à bancarrota em segundos. Funciona como um *software* de computador, programado para dar as mesmas respostas diante de perguntas semelhantes. Na prática, vamos supor que você é homem e descobre que acaba de conquistar uma vaga na qual terá como chefe uma mulher. Se seu ser estiver tomado por esse tipo de negatividade, automaticamente você vai responder com desdém, vai "pensar duas vezes" no emprego e até pode chegar a questionar a seriedade da empresa. Sim, o preconceito mora no país dos absurdos e não se dirige apenas às pessoas. O preconceito atinge fatos, ideias, modo de vida, situações e atitudes.

Antídoto

Abra os olhos. Investigue, admita quando não sabe muito a respeito de algo e pesquise, escute. Veja a situação por ângulos diferentes. Se ficar difícil, imagine-se como uma criança descobrindo o mundo. Acredite: você não conhece o mundo como acha que conhece.

7. INDIFERENÇA

Costuma ser apresentada pelos arquétipos da imobilidade. Aos poucos o fará cultivar a ideia de que nada tem importância, e, quando nada tem importância, o pensamento positivo é simplesmente anulado. As pessoas tomadas pela indiferença estão sentadas na beira da estrada, enquanto as outras seguem seu caminho. De vez em quando, elas levantam os olhos e murmuram: "Pra mim, tanto faz se a água corre pra baixo ou se corre pra cima". Alheias ao Universo, não participam da jornada e, devagar e cruelmente, assassinam os próprios sonhos.

Antídoto

Existem muitas maneiras de lidar com a indiferença e afastá-la dos seus domínios. Uma delas consiste em usar o que chamo de *princípio da vacina*. Em geral, as vacinas são produzidas com os próprios agentes patogênicos, ou seja, para combater determinado vírus, usa-se o próprio vírus – enfraquecido, claro. Ele faz o organismo preparar um exército de anticorpos. O vírus enfraquecido morre, mas o corpo permanece protegido contra um eventual ataque mais sério. Para se afastar da indiferença, fique indiferente a ela. Quando ela de fato resolver atacar, você já saberá como resistir: usando a mesma arma do inimigo.

Caso você já esteja tomado por essa negatividade, sentadinho na beira do caminho, tente pegar uma carona. Procure pela família, por um amigo, por um companheiro ou uma companheira – alguém capaz de lhe tirar dali e fazê-lo enxergar, novamente, que a vida é mais do que o rastro de poeira deixado pelos outros.

8. REMORSO

Diferentemente do arrependimento, o remorso não oferece opções positivas. Quem se arrepende de um erro pode tentar consertá-lo. O arrependimento significa, portanto, o início de uma atitude positiva. O remorso, ao contrário, constitui uma negatividade, pois gera um círculo vicioso. A pessoa com remorso não consegue se livrar da culpa que sente, não consegue sequer se arrepender de fato e, por isso, muitas vezes passa a se autoflagelar. Capaz de minar o amor-próprio, o remorso aniquila qualquer fagulha de positividade.

Antídoto

Se você errou, assuma o seu erro e não tenha medo de se arrepender. Se deixou de fazer algo por alguém, vá lá e faça. O maior medo de quem sente remorso é ser repreendido por sua falta ao assumi-la. No entanto, por maior ou mais grave que seja o erro, nenhuma censura ou repreensão será pior do que conviver com o remorso. Existe um velho ditado popular que minha mãe vivia repetindo quando eu era criança: "Antes ficar vermelho por cinco minutos do que amarelo pelo resto da vida".

9. FRUSTRAÇÃO

Todos nós fracassamos. Nessas ocasiões, tome cuidado com o Mau Humor. Ele pode incitá-lo a cultivar suas frustrações como ervas daninhas. Longe do Mau Humor, use suas frustrações para amadurecer, para mudar de rota, para tentar de novo. Não deixe que elas tomem o jardim e sufoquem as flores.

Antídoto

Ao se frustrar com alguém ou alguma coisa, faça uma autoavaliação de suas atitudes, do caminho percorrido até ali. Você terá duas alternativas: tentar de novo ou se adaptar. Na opção "tentar de novo", procure pelo que deu errado. Às vezes jogamos mal, nos precipitamos. É importante tentar de novo com consciência, e não apenas pelo método da tentativa e erro. Avalie com honestidade; lembre-se de destrinchar o seu desejo. A opção "se adaptar" não significa "se acomodar". Ser positivo é também saber se adaptar a novas situações. Afinal, mesmo que você não queira, pode chover a cântaros durante suas férias na praia. E então? Você se diverte ou volta para casa?

10. PESSIMISMO

As pessoas tomadas por esse tipo de negatividade se tornam, automaticamente, incapazes de pensar positivo, mesmo que tudo conspire a favor de seu sucesso. Costumam culpar os outros pelos seus fracassos e detestam fazer planos, afinal, nenhum dará certo, e o pior está vindo a galope. Fique de olhos bem abertos quando avistar a Inveja. No fundo, o pessimista inveja o otimista, por isso o critica tanto.

Antídoto

Pegue uma folha de papel e liste o lado negativo de todas as coisas à sua volta. Se você estiver tomado pelo pessimismo, a lista ficará pronta em minutos. Agora, avalie o que escreveu. Faça de conta que cada item da lista representa uma moeda. Se você está vendo cara, do outro lado, com certeza, está a coroa.

Aos poucos, você vai aprender que pode virar a moeda e ver o outro lado das coisas. É o primeiro passo para ser positivo. Afinal, nada pode ser tão ruim se não puder ser tão bom, ou seja, a *bonança* só é a *bonança* porque veio depois da *tempestade*. Repita esse exercício durante uma semana, todos os dias. O otimismo é contagiante; basta virar a moeda.

Para lutar contra a negatividade, apoie-se ainda nos arquétipos da positividade. Eles podem ajudá-lo a encontrar aquilo que chamo de *atalhos do bem*. Alie-se à Confiança para espantar a vergonha. Apegue-se ao Desprendimento para deixar o remorso para trás. Não hesite em lançar mão da Alegria quando deparar com a frustração. A Determinação pode ser seu salvo--conduto para se livrar da intolerância. Use o Visionário para sair da masmorra do pessimismo. Cultive, enfim, a positividade.

E não se esqueça de compartilhá-la com quem está do seu lado. Quanto mais você estiver cercado de pessoas positivas, mais fácil ficará *ser positivo*. Não encare o pensamento positivo apenas como algo bom para você. O Universo conspira a favor do equilíbrio dessa enorme nave chamada mundo. Você não está sozinho nessa jornada.

ENFIM, O
equilíbrio

Não seja simplista. Meia dúzia de palavras negativas ou positivas não são capazes de mudar o mundo sozinhas. O bolo não desanda se o confeiteiro for cuidadoso e zelar por sua receita. A chave que abre a porta é aquela que você gira quando pensa positivo com sabedoria e luta estrategicamente contra as negatividades. *Você* é o mentor dessa jornada em busca dos seus objetivos. Ser positivo é ser autônomo, exercer o livre-arbítrio.

No início deste livro, você viu o exemplo do jogo de futebol. Centenas de pessoas torcendo pelo seu time, para que a bola entre no gol. Ela não entra. Afinal, ser positivo funciona?

Ser positivo não é ser mágico, não é tirar da cartola os coelhinhos coloridos depois de um abracadabra. O Universo é sábio. Opera segundo as leis do equilíbrio. Quando a bola do seu time não entrou no gol, a outra metade do estádio vibrou. Muitas vezes, o "não" de um é o "sim" do outro, e você acaba de ser convidado para o próximo jogo, para torcer novamente pelo seu time.

Ser positivo é estar consciente desse equilíbrio. É saber ganhar e saber perder. É vislumbrar as oportunidades e não ter medo de seguir seu rastro. É ter paciência para perder a batalha e grandeza de espírito para vencer a guerra. É não se intimidar, não se desesperar. É saber a hora de agir e a de recuar. É nadar a favor da correnteza para chegar à margem com segurança. É ir a pé quando não se pode ir de carro. É esperar o furacão passar. É abandonar o que não serve mais, esquecer o que precisa ser esquecido e se lembrar do que precisa ser lembrado. É saber fazer fogo a partir de uma só fagulha. É ter consciência do próprio poder de escolha. É esquecer a sorte para se surpreender com o destino. É abandonar a má-fé sartriana. É acreditar que a Terra é azul.

Quando somos realmente positivos, não precisamos nos preocupar com o amanhã porque o hoje nos basta. Ser positivo é, no entanto, aproveitar o presente sem se esquecer do futuro.

É estar ciente dos próprios desejos, é destrinchá-los com sabedoria para, em seguida, agir estrategicamente, em comunhão com o Universo. É olhar nos olhos da fera e transformar o medo em pó. É olhar nos olhos da fera e saber que não se deve entrar na jaula. É enxergar as saúvas e avaliar o terreno.

Ser positivo é agradecer pelo que tem para articular meios de obter o que não se tem. É não confundir o "querer" com o "precisar". É não ter pressa para escolher. É estar preparado para rotas alternativas. É saber chorar sem se afogar nas próprias lágrimas. É usar o pranto para nadar em frente. É assumir os próprios erros e não se martirizar por eles. Como sim e não, o acerto não teria o mesmo sabor na falta do erro. É enxergar a saída na derrota, é trabalhar, é ter garra. É, contudo, ponderar. Olhar ao longe se estiver cansado.

Não há pensamento positivo que sobreviva à ingratidão. Portanto, não se esqueça de valorizar as pequenas conquistas e, ao mesmo tempo, enxergá-las como degraus da sua escalada.

Ser positivo é ter paciência e tranquilidade para observar a montanha. É enxergar a estrada florida que está por trás dela. É caminhar até ela, em vez de esperar que ela saia do lugar e venha saudá-lo. Ser positivo é usar nosso melhor dom: o poder de imaginar. Quem imagina cria; quem cria prospera. Ser positivo é sair da caverna, é deixar de ver as sombras para ver a causa delas. Ser positivo é saber distinguir o negativo da negatividade. É não deixar que o bolo desande. É escolher a receita e adicionar os ingredientes certos.

A história conta que Xerxes, prestes a enfrentar os gregos na Batalha das Termópilas, teria ameaçado a defesa grega dizendo: "Minhas flechas serão tão numerosas que cobrirão o sol", ao que Leônidas, rei de Esparta, teria respondido: "Tanto melhor, combateremos à sombra". Ser positivo é não perder o bom humor; é, aliás, ficar atento ao seu avesso, o Mau Humor. É lidar com besouros como se deve lidar com besouros e com rinocerontes como se deve lidar com rinocerontes.

Ser positivo é não ficar na beira da estrada; é pegar uma carona positivamente contagiante. Ser positivo é moer a vingança, é enxergar a situação de fora, é ser imparcial. É não ter pena de si mesmo. É fazer o próprio *show*, mas aplaudir o outro. É tirar o cisco do olho e continuar o espetáculo. Porque ser positivo é estar convicto de que não se poderia pensar se não fosse possível fazer.

Ser positivo é ter certeza de que o mundo é um velho desconhecido, pronto para ser explorado, tocado, vivido. É saber que, na verdade, quem sabe? Talvez... não se saiba.

Ser positivo é saber estar do lado oposto. É usar as armas do inimigo para fins amigos. É não ter medo de ser repreendido. É não ficar indiferente. É se adaptar e, ao mesmo tempo, não se acomodar. É virar a moeda e não dar chance ao pessimismo. É encontrar e viver em equilíbrio.

Por fim, ser positivo é transmitir a positividade, afinal, segundo um belo provérbio africano, "Uma chama não perde nada em acender outra".

Este livro foi composto com a família tipográfica Avenir, em fevereiro de 2016, pelo Estúdio Obá Editorial para a Capitu Editora.